Savais-tu?

Les Hermines

Savais-tu?

Les Hermines

Alain M. Bergeron
Michel Quintin
Sampar

Illustrations de Sampar

ÉDITIONS
MICHEL
QUINTIN

Catalogage avant publication de Bibliothèque et Archives nationales du Québec et Bibliothèque et Archives Canada

Bergeron, Alain M., 1957-

    Les hermines

    (Savais-tu? ; 22)
    Pour enfants de 7 ans et plus.

    ISBN 978-2-89435-264-9

    1. Hermines - Ouvrages pour la jeunesse.   2. Hermines - Ouvrages illustrés. I. Quintin, Michel . II. Sampar. III. Titre. IV. Collection : Bergeron, Alain M., 1957- . Savais-tu? ; 22.

QL737.C25B47 2004   j599.76'62   C2004-940226-9

Révision linguistique : Rachel Fontaine

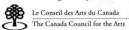

Le Conseil des Arts du Canada — The Canada Council for the Arts   SODEC Québec   Patrimoine canadien   Canadian Heritage

La publication de cet ouvrage a été réalisée grâce au soutien financier du Conseil des Arts du Canada et de la SODEC. De plus, les Éditions Michel Quintin bénéficient de l'aide financière du gouvernement du Canada par l'entremise du Programme d'aide au développement de l'industrie de l'édition (PADIÉ) pour leurs activités d'édition.

Gouvernement du Québec – Programme de crédit d'impôt pour l'édition de livres – Gestion SODEC

ISBN 978-2-89435-264-9
Dépôt légal - Bibliothèque et Archives nationales du Québec, 2004
Dépôt légal - Bibliothèque et Archives Canada, 2004

Éditions Michel Quintin
C.P. 340, Waterloo (Québec)
Canada J0E 2N0
Tél.:   450 539-3774
Téléc.: 450 539-4905
www.editionsmichelquintin.ca

0 7 - M L - 2

Imprimé au Canada

Savais-tu que l'hermine, aussi appelée belette à queue courte, est une espèce très répandue? On la retrouve en Amérique du Nord, en Europe et en Asie.

Savais-tu que ce mustélidé fait partie de la même famille que le vison, la loutre et la mouffette?

Savais-tu que, comme tous les mustélidés, l'hermine a des glandes anales très développées? Situées près de chaque côté de l'anus, ces glandes sécrètent un liquide

à l'odeur fétide presque aussi désagréable que celui de la mouffette.

Savais-tu que, carnivore, elle se nourrit presque exclusivement de petits rongeurs? Elle mange aussi des oiseaux, des amphibiens, des poissons et des invertébrés.

Savais-tu que ce redoutable prédateur peut s'attaquer à des proies jusqu'à 5 fois plus grosses que lui? C'est le cas des lapins et des lièvres.

Savais-tu que, quelle que soit la grosseur de sa proie, l'hermine chasse toujours en solitaire?

Savais-tu qu'avec ses pattes courtes et son corps élancé, ce mammifère a une apparence serpentiforme? Parfaitement adapté, il peut sans problème poursuivre les rongeurs

dans leurs abris souterrains et dans leurs galeries sous
la neige.

Savais-tu que l'hermine consomme en 2 jours l'équivalent de son poids en nourriture? Par comparaison, un humain prend environ 2 mois pour manger l'équivalent de son poids.

Savais-tu que lorsqu'il chasse, ce terrible prédateur tue quasi instantanément sa victime en la mordant à la base de la nuque?

Savais-tu qu'il est faux de croire que l'hermine tue par plaisir? En fait, elle accumule les surplus de sa chasse en prévision des jours de disette.

Savais-tu que c'est parce qu'elle lèche le sang qui s'écoule des plaies de ses victimes qu'on a longtemps cru qu'elle suçait le sang?

Savais-tu que, même si elle est rassasiée, l'hermine peut causer une véritable hécatombe dans une basse-cour? Bien qu'elle s'y aventure rarement, elle est alors très excitée par les animaux qui sont pris de panique.

Savais-tu que, curieuse, elle se dresse souvent sur ses
pattes arrière pour surveiller les environs?

Savais-tu que, principalement terrestre, elle se déplace surtout par petits bonds? Elle excelle à grimper aux arbres et à sauter.

ES-TU UNE HERMINE?

OU UNE BELETTE?

POURQUOI VOUS VOULEZ SAVOIR ÇA?

BEN! PARCE QUE...

LES BELETTES SENTENT LE PET!

ET LES HERMINES SENTENT LA SARDINE!

CRÔÂHAHA

L'HERMINE EST UNE VERMINE!

LA BELETTE EST UNE MAUVIETTE!

CRÔÂHAHAHAHA!!!

Savais-tu que l'hermine, qui est bonne nageuse, n'hésite pas à poursuivre sa proie jusque dans l'eau?

Savais-tu qu'elle s'abrite dans des terriers de petits rongeurs? Elle peut aussi vivre sous ou dans de vieux bâtiments, dans des souches creuses, parmi des amas de roches, ou encore, entre les racines des arbres.

Savais-tu que l'hermine est solitaire, sauf pendant la période de reproduction? Elle délimite son territoire en laissant bien à la vue ses excréments et les sécrétions de ses glandes anales.

Savais-tu que les mâles sont presque 2 fois plus gros que les femelles? Ceux-ci peuvent peser jusqu'à 180 grammes.

Savais-tu que la femelle peut s'accoupler dès l'âge de 3 mois?

Savais-tu que la femelle a une seule portée par année? Celle-ci compte en moyenne de 3 à 10 petits, mais certaines femelles peuvent en avoir jusqu'à 20. Tous naissent sourds et aveugles.

Savais-tu que, bien avant d'ouvrir les yeux, les petits, âgés d'à peine un mois, mangent déjà de la viande?

Savais-tu qu'à l'âge de 3 mois, les petits sont capables de tuer leurs premières proies?

Savais-tu que, nés au printemps, c'est à l'automne de la même année que les jeunes quittent leur mère et se dispersent?

Savais-tu que l'hermine est active tout l'hiver? C'est alors sous la neige qu'elle se déplace surtout.

Savais-tu que, l'été, la robe de l'hermine est brune sur le dos et blanc-crème sur le ventre? L'hiver, par contre, les hermines des régions froides deviennent toutes blanches, sauf le bout de leur queue qui reste noir.

Savais-tu que, symbole de pureté morale, la fourrure blanche de l'hermine était autrefois très recherchée pour la confection de manteaux princiers et royaux?

De nos jours, l'homme continue de la chasser pour sa fourrure. Il la persécute aussi à cause de sa réputation sanguinaire.

Savais-tu que l'hermine nous débarrasse chaque année d'une impressionnante quantité de vermine? Chacune d'elles consomme entre 1 000 et 3 000 petits rongeurs annuellement.

Savais-tu que lorsqu'elle chasse, l'hermine devient souvent elle-même une proie pour les renards, les chats et
les oiseaux de proie?

Savais-tu qu'à l'état sauvage, l'hermine peut vivre jusqu'à 6 ans? Par contre, peu d'individus atteindront l'âge de 2 ans.